RIBWORT

ГАННА КОМАР
ТРЫПУТНІК

HANNA KOMAR
RIBWORT

First published by 3TimesRebel Press in 2023, our second year of existence.

Title: *Ribwort* by Hanna Komar

Original title: *Трыпутнік*

Design and layout: Enric Jardí

Editing and proofreading: Mary Kollar, John Farndon, Kryścina Banduryna, V.H., Greg Mulhern, Bibiana Mas
Author photograph: © Katsiaryna Sharah
Maria-Mercè Marçal's poem Deriva: © heiresses of Maria-Mercè Marçal
Translation of Maria-Mercè Marçal's poem Deriva: © Dr Sam Abrams
Photographs of the poems *Unprotected*: © xenia svirid

Printed and bound by TJ Books, Padstow, Cornwall, England
Paperback ISBN: 978-1-7391287-8-4
eBook ISBN: 978-1-7394528-0-3 / 978-1-7394528-1-0

www.3timesrebel.com

A CIP catalogue record for this book is available from the British Library.

‘Komar’s poetry quenches our thirst for truth. These are poems that brim with urgency: clear, bracing, live-giving’.

Clare Pollard

‘Hanna Komar’s poems are a rumbling ache in the heart, a low cry in the darkness against oppression – of the people of her native Belarus, crushed by Lukashenko’s brutal regime, and of so many women through the centuries everywhere. Searingly honest, yet brimful of human sympathy, this collection seeps into your mind with its powerful conviction and determination to alert the world to what truly matters.’

John Farndon

‘Komar never turns away, always towards: gifted equally in the expression of grief and love, in anger and tenderness, in after and before. A life torn down the centre finds something beautiful in *Ribwort* – and, we sense as its reader, something almost inadmissible, something of hope. Anyone unsure of the power of poetry in translation should take *Ribwort* as their remedy.’

James Appleby

From the Editor:

When does an editor cross the bridge from monitoring usage and format to mentoring with love? Some years back, a former student of mine with ties to Belarusian citizens emailed me asking me to assist a young Hanna Komar to translate her poems. Already facile with British English, Hanna needed to grow in her comfort with idioms. As a career English teacher and a published poet, I took on what began as a courtesy and grew to a profound friendship. We had long conversations by email debating choices from line breaks to imagery. I watched as Hanna's poetry evolved from self-reflective subjects of romance and identity. With the uprising of Belarusian citizens in protest of the fraud election of Lukashenko, Hanna's poetry broke the bounds of self to engagement with a world of righteous sisterhood. Her incarceration for peaceable protest did not chain her but freed her spirit and intelligence to give voice to the Belarusian people with compassionate empathy. This finally published edition of *Ribwort* is a balm for wounds deeper than surface scratches. It deserves reading from first poem to last as a record of an unvanquished human spirit.

Mary Kollar
Seattle, Washington, USA

From the author

In the summer of 2021, I brought the script for this book (except for two poems which were written later) to a publisher in Belarus. He told me his business was going to be shut down because of my protest poems. He couldn't publish them, and without these poems, this book wouldn't be complete.

Since then, almost all independent publishers of books in the Belarusian language have had their businesses suspended or liquidated. Books have been labelled 'extremist' and people have been imprisoned just for selling or owning them, while the writers themselves have been persecuted for writing them. This is just the tip of the iceberg, in terms of the repressions which have unfolded in Belarus since the people stood up against falsified election results on 9 August 2020, and the violence which has followed. Dozens of people continue to be arrested on political grounds every day in Belarus.

Some call that summer 'the awakening of Belarusians'; others call it 'the birth of a new, free Belarus'. Whatever it's called, these years have felt, for the nation and for me personally, like a process of unlearning our learned helplessness. But they have also been years of maturation, of courage, of solidarity and of hope; of pain, of suffering and of disillusionment. A lot of wounds have opened up.

With the help of poetry, I have been healing my own personal wounds for a long time. This is where my art has been lifesaving, for me.

This book doesn't start with the protest poems of 2020. It consists of sections that detail my relationship with my parents and with myself, romantic relationships, a small experimental cycle of miniature poems, the relationship with my homeland, and the poetry of civil resistance. Each of them administers a leaf of ribwort to help the wounds heal.

Ribwort is a space to sit down with your pain, and to listen. You may think it's not helpful, like a leaf of ribwort on a bleeding wound. The pain will probably get worse and worse, but if you face it, if you make room for it, it will eventually shrink to the size of a scratch that a leaf of ribwort can help to heal. When we have healed, we can then become leaves of ribwort for others; we can sit down with their pain, and listen to them. Listen with compassion and without fear, without getting defensive or running away. This is what keeps me going.

Ribwort might feel more like two books, as the mostly personal poems flow into those which talk more about the collective experience. The second part wouldn't be possible without the first though as, through sharing my personal pain, I learnt to hold space for experiences much bigger than mine, much bigger than me. My hope is that these poems will become ribwort for collective wounds.

Лёшы Стрэльнікаву

Мы — знічкі пад ільдом тваіх павекаў.

For Alexey Strelnicov
We're falling stars under your icy eyelids.

А нутро так плавіцца,
што застаецца толькі
пісаць і давіцца слязьмі.
Бо ўжо заржавела,
бо трэба яшчэ пажыць.
Ведаеш, мама, калі мы былі дзяцьмі —
тымі, сярод каторых няма чужых, —
трыпутнік на ранках вучыў нас любіць.

Крысціна Бандурына

And my insides are melting
so all that's left is writing
and choking on tears.
Because I'm about to burst
yet still need to live.
You know, mama, when we were children
and each of us was yours,
the ribwort on the wound taught us how to love.

Kryścina Banduryna, HOMO

агарні мяне
трыпутнікам
цела свайго...
ціха ляжаць
слухаць
рэха маўчання
трамвайных рэек
стомленых барабанаў
зацяганыя рытмы
з дынамікаў
сэрцабіццё
акцэнты смеху
турыстаў...
пакуль не зрастуцца
раны мае
з тваім лісцем

Dublin Night

wrap around me
like ribwort,
softly
listening to
the echo of quiet
tramway tracks,
the endless pounding
of weary drums
and the heartbeat
of the speakers,
identifying tourists
by the accent of
their laughter...

till my wounds
merge with
your leaves

зрабі так:
прыедзь, пасадзі іх
перад сабой, абаіх,

скажы: “мне трэба
з вамі пагаварыць”.
і пачынай плакаць.

пра ўсё, чым яны
для цябе не сталі,
пра тое, што так ніколі
і не пасталелі,
як ад саміх сябе
не абаранілі,
як ім нельга верыць.

што глядзець у акно
цікавей, чым з імі,
а “я такая ж, як вы”
гучыць невылечна,

і каб збегчы
ад гэтага, кідаешся
ў абдымкі не тых,
як вынаходзіш
прыняцце й любоў.

To Unify

Do this:
come for a visit,
sit in front of them,
say, 'I need to talk
to you'
and start crying.

Cry for everything
they haven't been for you,
cry that they
never grew up
and didn't protect you
from themselves,
that you still can't lean on them,

that staring out the window
is more amusing
than being in their space.

'I'm so just like you'
sounds sick.

Cry that, escaping from them
you throw yourself
into the wrong arms,
for anxiety wakes up
before you and sings,
'Sleep baby,

як трывога ўстае
раней за цябе і напявае:

“спі, дзетка, спі,
тут вусцішна і небяспечна,
ты не зможаш сама,
не спрабуй паверыць,
знайдзі, да каго прысмактацца,
прывяжыся, прыліпні,
няхай ён нясе за цябе адказнасць,
а ты яшчэ трошкі
пабудзеш маленькай”.

плач доўга, захлынаючыся,
не рабі пауз,
каб яны не паспявалі
з табой не згаджацца,
няхай не разумеюць,
задаюцца пытаннямі,
разгублена пераглядаюцца
і вінавата маўчаць.

калі ва ўсіх тваіх перамог
не атрымалася,
можа, хаця б віна
нарэшце іх аб’ яднае.

it's so scary
and so unsafe out there,
you won't make it on your own,
don't even think you can,
find someone to cling to,
to adhere and get attached to,
let him carry the responsibility
for your happiness,
you can stay a little girl
for a while longer.'

Cry steadily, chokingly,
take no breaks,
you don't want to give them time
to disagree.
It's ok if they don't understand,
it's fine if they are confused,
exchanging glances
and sharing guilty silence.

If all you have accomplished
on your own
cannot unite them,
maybe guilt will.

пасля
птушка вылятае,
птушаня
сочыць за ёй з гнязда:
за ўзмахам яе крылаў,
за паваротам хваста,
за тым,
як паветра
прагінаецца пад імі.
гарызонт завальваецца,
свет вакол
сцягваецца ў тугое яйка.
калі яна больш не вернецца,
шкарлупіна яму будзе домам.

Afterwards

the bird flies out,
the nestling
watches her from its nest:
the swing of her wings,
the turn of her tail,
the air yielding under them.
the horizon is tilting,
the world around
gets tightened into an egg.
if she doesn't come back
the shell will be its home.

абмежаваная камяком манным,
падолам мамкіным,
абмежаваная кубачкам з трэшчынай
уздоўж ружы,
абмежаваная кветачкай,
якую маме дорыць не яе муж,
абмежаваная маміным мужам,
а ён — успамінамі пра галаву курыцы,
што ў яго на вачах адсек тата,
як не абмяжоўваць сябе цяпер? раптам
ты, раптам табе
галаву, абмежаваную яйкам,
абмежаваную сеткай-рабіцай
зернем, цемем,
імем па бацьку,
камяком мамкіным,
падолам, трэшчынай,
бы вяроўкай вешальнік,
апошнім зубам цэлым;
целам...

цяпер, калі ты ведаеш,
што я за звер, —
вызвалі
або бяжы.

Bounded

Bounded by a semolina lump,
by the hem of mum's
skirt, by the cup cracked
along the rose,
by the flower
given to mum not by her husband,
bounded by mum's husband
while he is bounded by the memory
of the chicken's head which his father
cut off in front of his eyes, how
can you not be bounded after that, what
if all of a sudden it's you who
or it's your head
bounded by an egg,
by chain-link fencing,
by a grain, by vertex,
by a father's name,
by mum's lump,
the hem
of her skirt...

Now that you know
what kind of beast I am,
set me free
or run.

я прачнулася, слабая і хворая,
з адным жаданнем:
каб са мной паляжаў пяшчотна
хтосьці, хто не хоча мяне трахнуць.
перабірала сяброўак, сяброў,
неабходных, жаданых,
мама —
прыехаць і легчы ёй пад бачок,
яна была б самай шчаслівай,
але я не магу,
бо, калі я хварэла,
яна правярала тэмпературу
і давала таблеткі,
а не клалася побач,
а не спявала мне,
не плакала разам са мной
і не прасіла: "даруй, дачушка,
што мяне не навучылі пяшчоце".

Not what I wanted her to be

sick and fatigued,
I wake longing for someone
to lie beside me,
someone who doesn't want to fuck me,
friends, male and female,
needed and wanted,

I consider my mama –
if I come to her, lie down by her side
I will make her the happiest
mama, but I can't, because
when I'd get sick as a child
she'd check my temperature
and give me medication
rather than lying next to me,
singing and crying,
rather than whispering to me,
'Forgive me, my little girl,
that no one taught me affection...'

“трэба жаніцца”, —
цётачка ў цягніку
верыць нясцерпна,
гэтак жа, як
у штучныя кветкі на
красавіцкіх могілках.

Advice

'You need to get married',
a woman on the train
believes as ferociously
as she holds her plastic flowers
for the graves in April.

гара і цень гары

мой цень
і цень ад ценю —

так і іду праз лес,
баючыся ўсяго:
карчоў,
слізкіх вусеняў,
таго, як дрэвы
размаўляюць.

нібыта гэты свет
заўжды круціўся
вакол мяне,
нібыта карані
пасярод сцежкі
тырчаць, адно
каб я праз іх упала
і падала ўсю дарогу,
а мох на дрэвах
не расце,
каб мне не быць
арыенцірам.

чаго яшчэ чакаць
ад ценю ценю,
што ідзе
па цёмным лесе?

Through the dark woods

My shadow
and my shadow's shadow

walking through the woods,
scared of everything:
sprouting stumps,
weird insects,
talking trees...

As if this world
revolved around
me, always,
as if the roots
across the path
stuck out for me
to trip over them
and fall and fall
all the way,
as if moss didn't grow
on trees so that it couldn't
be my landmark.

What else would you expect
from a shadow of a shadow
walking through dark woods?

у цішыні майго цела
варочаецца з боку на бок
забыты сон,
акісляецца з’едзены яблык,
кроў выпырсквае астрамі,
сіпяць цяглічы, ламаецца
голас звязак і сухажылляў,
крыклівы пот
раскатурхвае поры,
ды толькі слёзы — цішэйшыя
за цішыню —
чуюць маю глухату
перад шматгалоссем лёсу...

In the quiet of my body

In the quiet of my body
a forgotten dream
tosses about
the apple I've eaten
acidifies,
blood gushes out with asters,
muscles wheeze, the voice
of the ligaments breaks,
and lamenting sweat
pierces my pores.
Only tears, quieter
than quiet itself,
can hear my deafness
to the polyphony of fate...

гэтая жанчына
па ўзросце мне маці,
па знешнасці — бабуля,
па паводзінах — дачка,
а насамрэч — мая пацыентка,
хоць я не доктар,
а яна не ў вар’ятні.

мы
ўдзень
выдаем на нармальных,
уноч жа
змешваем масла, цукар, муку ды яйкі
і жарэм сухама
свае дэпрэсіўныя станы.

Volunteer

I look after
this woman my mother's age
who looks like my grandmother
and acts as if she were my daughter

I am no doctor
and she is not
in a nursing home

during the day
we play at normality
at night we mix
butter with sugar, flour and eggs
then together we eat
our depressive episodes dry.

A Book from the Sky

чатыры тысячы няісных іерогліфаў —
гісторыя маёй трывогі,
маўчаннем выразаная па дрэве.

чатыры тысячы няісных іерогліфаў —
інсталяцыя маіх сноў
у музеі бяссоння:
кручуся на белых прасцінах старонак,
б’юся аб мяккія сцены вокладак,
плачу ў вузел утаймоўнай кашулі.

чатыры тысячы няісных іерогліфаў —
паэзія гвалту,
слоўнік надзеі.

колькі б галасоў
ні вучылі мяне гаварыць,
застаюся непісьменнай.

A Book from the Sky

Four thousand non-existent characters
the history of my anxiety
carved in wood by silence.

Four thousand non-existent characters
an installation of my dreams
in the museum of insomnia
tossing and turning on the white sheets of pages
smashing against the soft walls of the covers
crying into the straitjacket of opinions.

Four thousand non-existent characters
the poetry of abuse
the dictionary of hope.

No matter how many voices
teach me to speak
I remain illiterate.

калі ты са мной гаворыш,
я хацела б чуць
толькі тое,
што ты кажаш.

не адзяваць яго
ў гарнітур
мамы і таты,
не афарбоўваць
дзяцінствам,
не аздабляць
досведам.

не перагортваць
пасярэдзіне сказа,
не выключаць
на паузе.

не тыцкаць
у смаркачы,
не зліваць
ва ўнітаз,
не зграбаць
у купу,
не паліць
над газай.

Listen

And when you talk
to me I wish
I did not
dress it
in the suits
my parents wore
nor dye it
in childhood,
nor decorate it
with experience.

Not cut it off
mid-sentence.

Not rub it
into snot,
not flush it down
the toilet,
not sweep it
into a pile,
not burn it
over the gas.

Not run it
over with a truck.
Not drag it, face
down, on the asphalt.

не параязджаць
грузавіком.
не цягнуць
мордай па асфальце.

не здагадвацца,
не ўгадваць,
не ведаць.

слухаць
і чуць толькі тое,
што ты кажаш.

Not imagine,
not guess,
not know it.

I wish
I could hear
what you mean.

нараджаешся ў поўню, быццам упершыню.
неба ссыпае рыбам поўныя прыгаршчы,
рыбы ловяць ратамі соннымі гэтае салёнае,
гэтае самотнае слова “люблю”.

коўш перапоўнены хіліцца мыском,
рассыпае ў мора нябесны цукар.
ты нараджаешся, нібы ныраеш у хвалі
наскокам —
з грукатам.

акулы аблокаў палююць на чаўны закаханых,
ччч...
светлякі выпаўзаюць на бераг вітаць сваю
каралеву,
што нарадзілася ў поўню і мае ключы
да сэрца хваль, да сэрца залевы
і да твайго сэрца.

A Night in Cyprus

As if for the first time,
I was born on a full moon.
The sky pours down this salty,
lonely word 'love' to the fish
in handfuls, and they
catch it with their sleepy mouths.

The dipper is overflowing, it bows
scattering airy sugar over the sea.
You are born as if
swooping into it, loudly.

The sharks of clouds
prey on lovers' boats,
shhh...
Fireflies crawl out to the
shore to greet their queen,
who was born on a full moon
and has the keys
to the heart of the waves,
to the heart of the storm,
and to your heart.

стрымана іду ўніз
па каменьчыках
востра і холадна
я хачу дайсці да вады
не параніўшыся
я намацваю прастору
паміж вастрынёй і холадам
ненадзейна
і ніхто не абяцае
што будзе цёплай вада

Water

Cautiously,
I walk down
on the rocks
sharp and cold
I want to reach the water
without hurting myself
I feel for the space
between sharp
and cold
it's unreliable
but nobody promised me
that the water would be warm

я і ёсць тая дзяўчынка,
што ніколі не вырасце,
для якой ты — крыніца
неспатольнай блізкасці,
безумоўнай бяспекі,
цяпла.

мае вочы могуць
толькі цябе разгледзець
без акуляраў
з таўшчэзнымі шкельцамі.
мае гарлавыя гукі
перакладзі ў вершы,
выдай іх за свае —
табе павераць.

трымай мяне за руку
на эскалатарах,
не адпускай
у паўнюткіх аўтобусах.
вострыя гукі,
зыркія пахі,
тлустыя погляды
мяне пужаюць.

That girl

I'm that girl
who will never grow up,
the one for whom you are the source
of insatiable intimacy,
unconditional security,
and warmth.

You are the only one
my eyes can see clearly
without thick-lensed glasses.

My throaty words –
you can translate them into poetry
and take credit for them;
others will accept it.

Hold my hand on escalators;
don't let go of it on crowded buses.
Sharp sounds,
flashy smells,
greasy glances
frighten me.

застанёмся дома.
чытай мне ўголас,
расчэсвай мне валасы.
забудзься на вуліцу
з яе нерытмічным
дыханнем.
сквапная,
яна забярэ цябе.

абдымі —

такой адданай удзячнасці
не адчуеш у ніводнай
дарослай жанчыне.

Let's stay in.
Read aloud for me.
Brush my hair.
Forget about the street,
its unrhythmic breathing,
its greed that takes you away.

Hold me,

you will never feel
such faithfulness
from a grown-up woman.

узіраешся ў ласкавы яе твар,
як яна кранае доўгія свае валасы,
як яна ўсміхаецца і размаўляе —
кожная рыска жывая.
і ты цвёрда вырашыў, што кахаеш.

а ў яе пад адзеннем
ад ключыц да шчыкалатак —
словы,
напісаныя
вострым прадметам,
нашкрэбаныя наспех,
рэльефныя,
для чытання
з заплюшчанымі вачыма.

татачка   люблю   балюча   супакойся
кладзіся спаць   люблю калі ласка   цябе
болей
мама татачка татачка   не бі
збегчы   цішыня пакінь   кінь
татачка
татачка   харошы люблю
ненавіджу ненавіджу ненавіджу ненавіджу
ненавіджу

надрапаныя іржавым

Sharp

Peering into her gentle face
how she touches her long hair,
how she smiles and talks –
every line is bright, and you
committed to loving her.

Under her clothes
from her clavicle
down to the ankle
are words written
with a sharp object,
scribbled in haste
embossed to read
with your eyes closed.

dad   love you   it hurts   calm down
sleep love you
please   love you more
mum dad   don't run away   quiet
dad   dad   good
love you   stop it
I hate you I hate you I hate you I hate you I hate
you

халодным прадметам.

і хоць ты цвёрда вырашыў
кахаць яе,
шукаеш іншыя
гладкаскурыя целы,
пакідаеш на іх колеры —
сіні, чырвоны, жоўты,
колеры, што мяняюць
адценне і з часам
блякнуць, саступаючы
месца новым.

а ў цябе самога,
што там?
ды так, дробязі,
вынутае рабро.

Scratched with a rusty
object, with a cold
sharp object.

And although you
committed to love her,
you will be looking for
other smooth-skinned bodies
to paint, in colours
blue, red, and yellow,
colours that fade
to appear again,
like pentimento.

– Listen, what is it
you have there?
– Nothing, simply
a rib removed.

рака мая
корміць мноства
жывых істот,
ды не можа
спатоліць смагу
тваіх каранёў,
якія шукаюць
іншых крыніц —
слодычы іх,
свежай вільгаці прагнуць
прожылкі, тканкі,
існасць твая
і крыніцы,
адчуўшы сябе
жаданымі,
прабіваюцца там,
дзе іншыя дрэвы
іх не шукалі,
напаўняюць цябе
жыццём, цешацца
набрынялым тваім
плодам.
і побач з вамі
я — перасохлае горла.

Non-monogamy

My river
nourishes plenty of life
but can't
quench the thirst
of your roots
which are searching for
other springs.
Your fibres and tissues,
your core
craving for the delight
of their brisk moisture –
and the springs
feeling desired
come out in the places
where the other trees
didn't look for them.
They fill you up
with life, they rejoice
at your laden fruit.
And when you are with them
I am a parched throat.

трышчаць храсткі,
калі я расхінаю рукі
ўпусціць цябе,
баляць калені
бегчы за табой.
твая свабода
сягае далей за маю
забруджаную паэтыку.

я выпраменьваю любоў,
абцяжараную плутоніем.
пакінь мяне маім хваробам,
шукай нерадыёактыўнае ўлонне.

Radiation

Cartilage crackles
when I open my arms
to let you in;
my knees are sore –
it's hard for me to run
to where your freedom flies
far beyond
my contaminated poetry.
I'm radiating love
loaded with plutonium.
leave me to my tumours
and find a non-radioactive womb.

на сняданак — учарашні захад сонца,
нясвежы, як прасціны пад намі;
яны ведаюць,
пра што мы
будзем думаць увесь дзень.

учарашні, памяты, як мая скура.
мы з ёй сінхронна губляем:
яна — пругкасць, я — ідэалы.
чайкі, з якімі ў цябе вайна,
замінаюць лічыць, колькі жанчын
прымаюць цябе як ёсць.

гэтая мыльная опера
зацягнулася
да світанку.
час снедаць,
не падавіцца
засохлай скарынкай.

THE ROOM UNDER THE ROOF

I'm having yesterday's sunset for breakfast
as fresh as the sheets beneath our bodies
that know what we'll be
thinking tomorrow.

yesterday's sunset, wrinkled like the skin,
we are both losing:
it – elasticity, I – ideals.
Marauding seagulls, your worst enemies
stop you counting all the women
who accept you the way you are.

this soap opera was drawn out to
the sunrise.
It's breakfast time;
try not to choke
on your crust.

гэтае мора ўнутры
супакоіцца,
калі я
раскажу, як лічыла
твае радзімкі
і складала з іх
новы сусвет,

якія прывіды
падступаліся да цябе,
пакуль ты спаў,
як я аддала ім
ланцужкі свае ды пярсцёнкі
і нават чырвоныя туфлікі,

як я дыхала ледзь-ледзь
па іх сыходзе,
каб не разбудзіць цябе,
і мае лёгкія ператварыліся
ў асеннія лісцікі.

гэтае мора ўнутры
супакоіцца,
калі я
раскажу,
а ты
пачуеш мяне.

Calming after the storm

This sea inside me
will calm down
when I tell you how
I counted your moles,
creating a new universe from them,

what phantoms
came to you
when you were asleep,
I gave your ghosts
my rings, necklaces,
and my little red shoes.

I was barely breathing just
as they left
not to awake you,
and my lungs
became autumn leaves.

This sea inside me
will calm down when I
tell you, and you
listen.

з кішэні карміць варон
гладзіць па спінах чмялёў
спрачацца на роўных з ветрам

гэта я перастукваюся з табой
праз сцяну таўшчынёй 628 дзён
прыгожы почырк для гэтага не патрэбны

перакрычаўшы адзіноту тэлевізараў
праціснуўшыся праз натоўпы калідораў
прыступкамі хрыбетніка падымаюся да цябе

адчыняй

Courageous

to pocket-feed crows
to pat bumble-bees on their backs
to argue on equal footing with the wind

that's me
who's been tapping with you
against the wall as thick as 628 days
no point in having beautiful handwriting

i've out-voiced the loneliness of tv sets
elbowed my way through a tangle of corridors
and climbed the ladder of the spine

open up

Аміры

ты плакаў толькі аднойчы,
калі я зламала твае акуляры,
а смяяўся разам са мной
усяго два разы,
я не памятаю, чаму —
раптам стала так светла,
нібы мне падарылі сонца,
мне адной...

я плакала праз дзень,
потым штодня,
мне пякло,
калі яечня шкварчэла на патэльні,
калі гарачы чай выліваўся на рукі,
калі твая маці не верыла аніводнаму майму слову.

я плакала кожную трэцюю ноч
пасля тых трох хвілін без святла,
калі ты дазваляў мне зняць адзенне,
што хавала складкі на жываце.
іх магло б расправіць дзіця,
але да тваёй згоды заставалася
дзесяць кіло маёй вагі.

AMIRA

You only cried once
when I happened to sit on your glasses
you only laughed with me
twice
I don't remember why
suddenly, there was such light
as if I had been given a sun
only for me.

I cried every second day
then every day, my skin burning
when the eggs spit in the pan
when the boiling tea spilled over my hands
when your mother didn't believe my single word.

I cried every third night
after those three minutes with the lights off
when you allowed me to wear no clothes
which hid the wrinkles of my belly,
a baby could smooth it out
but I had ten more kilos to lose
till your consent.

душа галасіла, бы цётка з Цэнтральнага рынка
Касабланкі, што твой тавар самы лепшы.
я не верыла ёй, але зноў і зноў яго набывала.

My soul was wailing, like a street trader at the central market
of Casablanca, that your goods were the best.
I didn't believe her but still bought them time after time.

проста быць побач —
рэзаць пірог і маўчаць,
лагодныя драбкі цішы
выпускаць на стол,
ведаць, што вастрыня
нажа — не метафара,
а частка вашай
агульнай прасторы.

рэзаць пірог
і маўчаць,
не перакрыкваць
дождж,
дазволіць усім
удзельнікам сцэны
граць свае ролі.
няхай застануцца
ў свеце толькі
гэтая імітацыя
сонца і гэты нож.

A Cake

simply to be near
quietly cutting a cake
dropping the gentle crumbs
of calmness over the table
knowing that the sharpness
of the knife is not a metaphor
but a part of the space that you share

cutting the cake quietly
not outshouting the rain
letting all the participants
in the scene play their roles
let only two things remain:
this imitation of the sun
and this knife

і верш няхай зусім
не пра вас,
і кран цячэ,
і рэчы жывуць
уласным жыццём.
а вы паднесяце
да рота кавалкі
вільготнага пірага,
запоўніце рот
літарамі яго,
загаворыце мовай,
што аддае больш,
чым бярэ.
гэта і ёсць любоў.

разам маўчаць —
значыць, мець давер,
не маючы слоў

may this poem
be not about you at all
may the tap be dripping
may things have a life of their own,
when you bring a piece
of the moist cake up to your lips,
it will fill your mouth
with flavour on a tongue
that gives
more than it takes.

мне хочацца запомніць вас знутры,
пакуль вы слухаеце
мой верш
на мове шолаху
пра мора, што я абхапіла,
бы кіта,
пра тое, як пад вечар
хвалі замалёўваюць бераг...
як сонца распальваецца ад любові
да свету, пакуль я
намацваю ў ім слабіну,
пакуль я вырашаю чайкавыя
спрэчкі і чытаю “Тысячу раніц”,
над морам засынае сонца
і мурашы па скуры мяне казычуць,
і скура мора цяплейшая за маю,
вандроўныя птушкі аблізваюць
вусны рыбін,
у рыбін раты салёныя ад маўчання,
і неба было напісана для перакладу,
і я так хачу запомніць вас знутры.

To My Audience

I want to memorise you
from inside
while you
are listening
to my poem
in the language of a sough
from the sea that I wrapped around
as if it were a whale

my poem
about the waves painting over
the shore with the coming of evenfall,
about the sun melting out of love
for the world, while I'm feeling
around for its weak spot
and resolving the gulls'
disputes and reading A Thousand Mornings
the sun falls asleep over the sea,
the goosebumps tickle my skin,
and the sea's skin is warmer than mine

the vagabond birds
are licking the lips
of the fishes
whose mouths
are salty from keeping silent,
and the sky was written to be translated,
and I want to memorise you from inside.

Невідавочная паэзія

калючыя вершы паэткі
счарнелае лісце
пасярод красавіка
...

зямля агароджаная
небам не разбі
лоб на ляту
...

белае на зялёным
як "жыць" і "жыць"
іншага выбару не пакідае
яблыня ў квецені
...

цеста
сцен
...

на дзіцячай пляцоўцы
двое дарослых
разгайдай моцна...

жалезнаю пупавінаю
звязаныя арэлі-блізняткі
...

NOT OBVIOUS POETRY

my spiky poems
are black leaves
in the midst of April...
...

the earth is closed
in by the sky, don't
smash your head
...

white on green
like 'live' and 'live'
no other choice is given by
a blooming apple tree
...

the dough
of walls
...

twin swings are tied
by an iron cord

on the children's playground
there are two adults
push me up high...
...

чарвячок вадасцёкавых труб
засмяг без дажджу
...

радзімка сонца
на падбароддзі вечара
...

шум дарог
на ямачках пялёсткаў
...

я люблю што вецер
дзьме мне ў твар
калі цвіце язмін
...

куды ні пайду
чорная котка
адна і тая ж
сцеражэ ўдачу
...

дрыжыкамі
па спінах аблокаў
дасылае табе пацалункі
мой аголены вецер
...

a worm of drainpipe
pining away without rain
...

the sun like a mole
on evening's chin
...

the noise of roadway
on petals' dimples
...

i love wind
in my face
when jasmine blooms
...
wherever I go
the same black cat
guards my luck
...

like tingles
down the spines of clouds
barefoot wind carries
my kisses to you
...

тры гады па вяртанні
я гаварыла з табой
толькі таму, што ты —
жаночага роду.

тры гады забывала цябе
радок за радком,
каб лягчэй было
назаўсёды пакінуць.

я любіла цябе
без святла, навобмацак.

бачыш, паказанні мае разыходзяцца.

ты пазбягаеш майго позірку,
здаўшы мяне санітарам.

з акна палаты я бачу
дворнікаў, што языком
расчышчаюць дарогу
кожнаму новаму дню.

дні пачынаюцца грукам у дзверы:
«пусці, сука!»
і заканчваюцца, скруціўшыся
коткай у падвале.

The June when I could feel again

For three years
after coming back
I've been talking to you
only because you too are female,
my motherland.

For three years
I've been doing my best to forget you
poem by poem so that
it'd be easy to leave you.

I've loved you
blindly, by touch.

You've been avoiding my eye
since handing me over to the nurses.

I can see from my hospital ward
street sweepers
tonguing their way
to a new day...

Days start with a bang on the door,
'Let me in, you bitch!'
Days end curling up
in the basements of buildings.

іх зафарбоўваюць прастакутнікам
і забываюць.

я махаю з акна палаты,
тру вочы і не магу дыхаць.

гэта толькі таполі?..

Days, like art made by free people,
get painted over
with squares
and forgotten.

I wave my hands from the ward,
rub my eyes and can't breathe.

Is this just the pollen from poplar trees?

бледнай рукой вясна рассоўвае фіранкі.
доўгія месяцы штучных вітамінаў
пакінулі калматыя лішаі на целах вокнаў,
сонечныя ванны ў помач дзецям умераных
шырот
і фермаў, дзе гадуюць
мяса.
мы і самі мяса,
і вецер дзярэ нас на шматкі,
і вецер не шкадуе нашых шкурак,
і вецер пусціць нас на сальцісон.
ссінелымі губамі я прамаўчу
сваю нязгоду
з выпадкам нараджэння
ў гэтым клімаце
і з гэтым снегам,
што шыю маю
раздзьмуў, як жабу.
я пракаўтну лядзяш з лімонным сокам,
заем усё гэта журавінай у цукры.
падчас вясновай прыборкі памыем вокны —
ды толькі да наступнага дажджу.

Spring

Spring opens the curtains with pale hands.
Long months of vitamin supplements
made a body, just like window
trims, laced with lichen...
We're children
of the middle latitudes
and of the farms
where they breed meat.
We're meat ourselves,
and the wind is tearing us to shreds
it isn't merciful to our pelts,
it's going to make salceson of us.
While my bluish lips say nothing of
my dissent
with the accident of birth
in such a climate
this snow bloats my neck like a toad's.
I gulp down a lemon juice ice cube
and chase it down with traditional
sugared cranberries.
During the spring clean
we can clear the windows
but only till it rains.

пакой памірае
разам
з яго прывідамі,
забудовамі,
бзікамі,
зімовымі зорамі

ранкам, а пятае,
акурат як прыходзіць сон
пад дзінькканне будзільніка,
пад звон.

я прымаю,
але трымаю.

Inspired by the play 'The room is dying' *by Palina Dabravolskaya*

the room is dying
together with its
ghosts,
together with the setting
and tics
in the light of wintery stars
at five am
as you're finally falling asleep
to the clock's buzz
to the bells ringing.

i accept it
but won't let go.

у роце гэтага горада
суха, нягледзячы на дажджы.
я загалоўныя літары
пакідаю на апошні глыток.
вільготныя алфавіты чужыя
прываблiваюць языкі нашых віз,
але не спатоліць смагу
закамянелых крылаў,
што мы так доўга расцілі,
каб лётаць, якімі
ахвяравалі, каб не вяртацца.

The calling of far-away lands

The mouth of this town
is dry amid the rain.
I keep the capital letters
for the last gulp.
Moist, alien alphabets,
are tempting the tongues
of our visas, but they
can't quench the thirst
of our petrified wings
that took us so long to grow
so we can fly,
that we sacrificed
never to return.

выратавальны круг лета быў бракаваны
Кацярына Макарэвіч

у гарадскіх калюжынах вучыцца плаваць —
інакш не выплысці,
калі пачнецца восень з яе залевамі.

мяхі пяску на барыкадах лета
рыхтуюцца змыць вадамётамі.
праколаты выратавальны круг,
але і ў вадамётаў праколатыя колы...

the lifebuoy of the summer was defective
Kaciaryna Makarevič, the question-shaped streetlights

We practise in the city puddles,
otherwise there are no chances to swim out
when autumn starts,
dragging the rain behind it.

Water cannons prepare to wash away
sandbags on the barricades of our summer;
the lifebuoy ring is damaged, but then
so are the wheels of the cannons.

Minsk, July 2020

Гэта гісторыя дзяўчыны, грамадзянкі расіі, якая разам са сваім хлопцам — беларусам — і дзясяткамі тысяч людзей, поўных надзеі, выйшла ў цэнтр Мінска 9 жніўня 2020 года і, разам з некалькімі тысячамі чалавек, прайшла праз катаванні ў ізалятары на Акрэсціна. Гісторыя напісаная на аснове вуснага інтэрв'ю з дзяўчынай, якое я знайшла ў адкрытым доступе. Яе імя я схавала ў мэтах бяспекі. Арыгінальны верш быў напісаны па-расейску.

*OL*SЯ /ТОГО||А*

Дзявятага
мы пайшлі пешшу
ад нашага дома ў цэнтр —
паглядзець,
што ўвогуле адбываецца на вуліцы,
і
было шмат людзей,
адчуванне свята:
усё будзе добра, мы былі ўпэўненыя.

кардон з міліцыі

Можна нам прайсці? Чаму не? Чаму мы не можам прайсці? Чаму, чаму мы не можам прайсці?

OL*SЯ /ТОГО||А

This is the story of a young Russian woman and her Belarusian boyfriend who, alongside tens of thousands of other people, full of hope, took to the streets of Minsk on August 9, 2020. Along with several thousand others, they were subjected to torture in the Akreścina detention centre. This testimony is based on an oral interview with her. Her name has been redacted for security purposes.

it was the ninth
we went by foot
from our house to the city centre
just to take a look
at what was happening outside
and
there were a lot of people
as if it were a holiday
everything will be OK...we were sure of it

a wall of police

are we allowed to pass through? why not?
why can't we pass through? why can't we pass through? why not?

~~*«проходите»*~~

крок наперад
крок назад
позна

Не чапайце яго, адпусціце, за што? За што?!!

закрывала сваім целам

ты можешь уходить
Куды я пайду?! Што ўвогуле адбываецца?!
тогда заходи с ним

Я зайшла.

звычайны аўтобус
да чацвёртай раніцы

Мы затрыманыя?
нет
Мы можам ісці?
нет!
А вы хто?
никто
Калі вы ніхто, тады я пайду?
будет больнее

~~come on through~~

one step forward
one step back
too late

don't touch him, let him go! what for? what for?

i shielded him with my body

You can go
but where will I go? what's going on here?
Fine, then get on the bus with him

so i got on

a run-of-the-mill bus
we were there till four in the morning

are we being detained?
No
then can we go?
No!
but who are you?
Nobody
well if you're nobody, then I can go?

It'll get worse

Мы з акна бачылі
шчыты,
зброю,
шумавыя гранаты.

...
Нас раздзялілі:
хлопчыкі-дзяўчаткі,
лицом к стене — стоять — молчать — не
смотреть!
хлопцаў — у аўтазак,
дзяўчатак — у «стакан».

У аўтазаках ёсць такія...
дзве жалезныя шафы
там цёмна,
там бракуе кіслароду
ты нічога не бачыш —
грудзіна хоча разарвацца...
дзіка...

Параненую дзяўчынку
да мяне пасадзілі,
абняўшыся,
супакойваю,
супакойваю,
супакойваю...
яе і сябе

from the windows we saw
shields,
guns,
stun grenades.

...
they divided us up
boys and girls
        Face to the wall! Stand up! Shut up! Stop looking!

boys in the back of the van,
girls in the 'stakan'

yes, police vans have such things...
        two small metal compartments
it's dark in there,
        and it's hard to breathe

you can't see anything
        you feel like you'll burst...
it's insane...

they sat a wounded girl
right next to me
as we hugged,
i calm-
        calm-
                calmed
her and myself down

Цёмна...
і бракуе кіслароду

...
Хлопцаў
нагамі збівалі з лаваў,
«куда сука! сел! на пол лёг!»
так плазам і кідалі.

Вельмі страшна...
Вельмі-вельмі

...
Ноч, цёмна, адчыніўся аўтазак.

Свецяць ліхтары,
з гары

б'юць па шчытах,
з усіх бакоў

калідор з АМАПа,
з абодвух бакоў

б'юць па хлопцах,
б'юць, б'юць, б'юць
«суки! твари! гандоны!»

заганяюць у цябе жывёльны страх
«Самі вы сукі, самі бяжыце!»

it's dark...
        and it's hard to breathe

...
the boys
were kicked off their seats
        Where are you trying to sit, faggot? Get
        on the floor!
they threw them flat on their faces

it was scary...
        so very scary

...
it was night....dark....the van doors opened

the streetlights glowed
        from above

the police beat their shields
        all around us

a wall of riot police
        on each side

they beat the boys
        and beat, and beat, and beat
        You bitches! Scum! Faggots!

губы дрыжаць

АМАПавец
выкруціў мне рукі за галаву,
нагой, палкай
у каленку ззаду
біў,
біў,
біў,
біў
я спатыкалася,
і спаты-калася,
і спа-ты-ка-лася...
да самых дзвярэй ЦІП

...
Я сведка...

хлопцаў
распраналі
цалкам
да майткоў
кагосьці без
на карачках
тварам
у падлогу
«подтирай своими трусами кровь,
вставай!»

they evoke a primal fear in you
no, you are the bitches! you run!

i say with quivering lips

a riot policeman
forced my hands behind my head
and with his leg and baton
beat my knee from behind
and beat
and beat
and beat
and i limped,
and limp-ed,
and lim-p-ed
all the way to the jail

...
i am a witness...

they stripped
the boys
down to their underwear
and some completely naked
on all fours
with their faces
to the ground

Навошта?
Яны цешацца, што можна біць людзей,
яны забаўляліся. Мяне галавой аб сценку.
За што?
Глядзела па баках.

«а кто бьёт?
никто никого не бьёт!»

напаўголага хлопца
палкай
«никто никого не бьёт!»
палкай
«никто никого не бьёт!!»
палкай
«никто никого не бьёт!!!»

Кроў хлынула пад ногі...
Яму падабаецца, што я гляджу,
і я адвярнулася.

«понравилось, сука?
мы тебя по кругу пустим
или на бутылку посадим»

ўвесь калідор у крыві
Я баялася, што памру...

Wipe that blood up with your pants!
And get up!

why?
they're just happy that they can beat people
they had fun doing it, they slammed my head
against the wall
why?
i looked around.

But who's beating you?
Nobody's beating anybody!

they beat a half-naked boy
with a club
Nobody's beating anybody!

they swung the club
Nobody's beating anybody!

and swung the club
Nobody's beating anybody!

his blood pooled beneath my feet...
they liked that i had to watch
so i turned away

You like that, bitch?
We'll pass you around
Or shove a bottle up you

...
Велізарны АМАПавец
штуршком запхаў мяне ў пакой
«я тебе, сука, лицо изуродую,
ни зубов, ни лица не останется»
і ўмазаў мне
па твары
так хутка,
і адразу каленам у жывот
паваліў, сагнуў, выкруціў рукі,
пачаў здзіраць з мяне пярсцёнкі...

Зайшла дзяўчына,
акуратна зняла матузкі.

«ВИДИШЬ ВСЕ ВЕЩИ ВМЕСТЕ Я ВСЁ ПОЛОЖИЛА НИЧЕГО НЕ ПРОПАДЁТ СМОТРИ-СМОТРИ НИЧЕГО НЕ ПРОПАДЁТ»

...
У нашай камеры
на чатырох
я была шаснаццатая.
Села на лаўку
і так прасядзела да наступнага дня.
Раніцай дзяўчат сталі дадаваць.

трыццаць восем
вада з-пад крана, з адной бутэлькі, каранавірус

the entire hallway was drenched in blood
i thought i would die...

...
an enormous officer
shoved me into a room
I'm going to ruin your face, bitch
You won't have any teeth left when
I'm done with you
and he slapped me
across my face
so fast
then he slammed his knee into my stomach
he knocked me down, bent me over, and put my
hands behind my back
and ripped the rings off my fingers...

a girl walked in
she carefully untied my shoelaces

see? I'm putting all your things together, so
nothing will get lost
look, look, nothing's going to get lost

Чацвёра сутак
нам не выключалі святло.

Вылівалі ваду — нас шмат, мы зліліся,
сплавіліся, зсмажыліся — сядзелі, стаялі на
падлозе, а там вада — куды сесці? Легчы?
Усе рэчы мокрыя. Усё мокрае. Увесь брудны.

і немагчыма дыхаць

Трыццаць восем —
мы страчвалі прытомнасць.
Было гідка прасіць,
я была супраць,
але мы страчвалі прытомнасць.
І нас вывелі ў калідор.
Мы стаялі,
дыхалі —
гэта была шчаслівая ноч.

гэта было прыніжальна

Мы прасілі адчыняць кармушку,
яны зачынялі яе па начах, каб мы не бачылі:
яны прывозілі новую партыю рабят,
яны білі іх у калідорах.

Я сведка —
кожную ноч,
чацвёра сутак...

...
in our cell
meant for four
i was the sixteenth
i sat on a bench
and stayed there all night
come morning, they started to throw more girls in

thirty-eight of us
dirty tap water, from the same bottle,
coronavirus

four whole days
they never turned off the lights

they poured out the water, there were a lot of
us, together we flowed, fused, and fried
we sat and stood on the wet floor, where could
we sit? or lie down? all our things were wet.
everything was wet. everything was dirty.

and it was impossible to breathe

thirty-eight of us
we were passing out
it was too humiliating to ask
i was against it
but we were passing out

хтосьці затыкаў вушы
хтосьці плакаў

Гэта нейкі фільм —
фільм жахаў?
Фільм пра вайну?
Што адбываецца?

«ты, сука, навсегда здесь
останешься.
я сделаю всё, чтобы ты навсегда
здесь осталась»

Я баялася, што памру ў гэтай камеры,
дзесьці пад ложкам засну, і ўсё —
ніколі ўжо не прачнуся,
яны мяне проста заб'юць.

Я не праходзіла ў іх па дакументах,
заб'юць ці закапаюць ці пакінуць гнісці
ў гэтай камеры назаўсёды
дзяўчат маліла запомніць мае імя і
прозвішча,
званіць куды-заўгодна,
каб проста ведалі пра мяне...

...
У нас там чалавеку вельмі блага,
Можна ўрача?!

and then they took us out into the hallway
and we stood there
and finally breathed
that was a happy night

that was humiliating

we asked them to leave the food slot open
but they closed it at night so we wouldn't see
they brought in a new group of people
and beat them in the hallways

am a witness
every night
four whole days...

some covered their ears
others cried

it was like a movie
a horror movie?
a war movie?
what's going on?

You'll stay here forever, bitch
I'll do everything to make sure you
stay here forever

Да сцяны...
dзяўчына
выкручвае мне рукі,
рассоўвае мне ногі
і б'е па іх
з унутранага боку —
а мне не баліць ...
дзяўчына
Прыціснула мяне за шыю тварам у падлогу
і стала душыць,
а мне не баліць ...
«сука, поняла, как вызывать врача, будешь
еще звать врача?
ты поняла, ты поняла, ты
поняла?!»
Я поняла.

тады яны прынеслі таблеткі

Трыццаць восем...
У нас не было нічога:
нейкі там кавалак туалетнай паперы,
змылак гаспадарчага мыла,
змылак —
невялічкі такі кавалачак
мы яго доўга мучылі
Туалет — дзірка ў падлозе.
На трэція суткі
вечарам прынеслі хлеб.
На чацвёртыя

i was afraid i'd die in that cell
that i'd fall asleep somewhere under a bed
and that'd be it... i wouldn't wake up
they'd just kill me

they didn't even take down any of my details
        they'd kill me and bury me or leave me
        there to rot in that cell forever
i begged the girls to remember my name
and to call anybody
just so somebody would know about me

...
someone in here is sick
can we have a doctor?!

Against the wall...
        a girl
twisted my arms,
separated my legs
and beat them
from the inside
it didn't hurt
        a girl
pushed me to the floor by my neck and started
to choke me
        but it didn't hurt...

прынеслі кашу, хлеб і чай.

Гэта было самае смачнае, што я ела за жыццё.

проста чорны чай, проста луста хлеба

...

чацвёра сутак
плакалі па чарзе
спявалі

глыбокай ноччу
пачалі выпускаць

Я бачыла,
як яны ўсіх адпускаюць.
Я бачыла,
бачыла —
усіх выпусцілі!

Я бачыла, бачыла!
Я — сведка

аднаго вялікага болю
і шчасця...

You bitch, do you understand how
to ask for a doctor now?
Will you ask for a doctor again?
You got it? You got it? Got it?!
yeah, i got it

then they brought some medicine

thirty-eight of us...
we didn't have anything
just a scrap of toilet paper
a piece of soap
just a piece
a tiny piece
we spent a while sharing it
the toilet was a hole in the floor

on the third night
they brought us bread
on the fourth
they brought us oatmeal, bread, and tea

it was the most delicious food i ever had
just some black tea and a slice of bread

...

four whole days
we took turns crying
and we sang
in the middle of the night
they began to let us go

i saw
how they were letting everyone go
i saw
i saw
they let everyone go!

i saw, i saw!
i am a witness

of that shared deep pain
and happiness...

Translated by David Kurkovskiy and Zachary Nelson

МІНСК, 12 ЖНІЎНЯ

ноч на аўтадазвоне:
гудкі — як дручкі,
гумовыя кулі —
усе на аднаго:
130, 131 — працяжны —
да ранку тварам у бетон,
непрытомнасць, з якой вырывае
новы ўдар,
трое сутак без ежы...

няма адказу на ўсе нашы
белыя кветкі,
чырвоныя сэрцы.

чалавечае цела і памяць
вытрымліваюць траўмы,
несумяшчальныя з верай у лепшае,
перайманоўваем колеры:
страх, трывогу, жалобу
на супраціў, чаканне, надзею.

калі ўсё гэта скончыцца,
я дапамагу табе фарбаваць
гэтыя голыя сцены

ў белы
чырвоны
белы.

WE COULDN'T FIND YOU

that night on autodial
tones like batons
like rubber bullets
directed at you
130,131 . . . long tone
a morning face on concrete
kicked from unconsciousness
three days without food

there's no answer
to all our
white flowers
and red hearts

human body and memory
withstand injuries
incompatible
with our belief in the better

we rename the colours
fear, *anxiety*, *mourning*
loving, *resistance* and *hope*

when it's over
i will help you paint
these bare walls

white
red
white

Minsk, 12 August 2020

уздоўж дарогі ні кветак, ні слёз,
толькі звон стаіць увушшу...
я хачу быць зноў целам сваім.

не чырвоным, не белым, не чорным,
не рукамі, што трымаюць папрок,
а басаnож па траве.

надзяваю напарстак
і лашчу твае валасы.
калі я так з пальцамі —
уяві маё сэрца.

жывая жанчына,
не штандар,
не надзея,
хачу вярнуць сабе
голас і цела,

можа быць, я ніколі так моцна
гэтага не хацела...

жнівень 2020, Мінск

Women's solidarity chains

there are no flowers
nor tears along the road
only the beeping
from passing cars

i want to be my body again

neither red nor white or black
not the hands holding reproach
but bare feet walking on grass

i put on a thimble
and pet your hair
i do this to my fingers
imagine my heart

a living woman
neither a battle flag
nor a bud of hope

I want to hear my voice
I want my body back

i must never have
wanted it
so badly

Minsk, August 2020

НЕАБАРОНЕНЫЯ

UNPROTECTED

Belarus. Late on 9 August, as voting ended and the exit polls were released, demonstrators took to the streets to express their disagreement with the 80% win claimed by Łukašenka. Riot police fired stun grenades, used batons, and made arrests as they dispersed the demonstrators. This collaborative project was created in order to talk about the first few days of the protest. This dress was given to me by a friend of mine, who was one of the thousands kidnapped and tortured between August 9-13. It symbolises Belarus as a woman who is leaving her abuser.

СТЭЛА

за дымам
святлошумавых
гранат
не бачым,
куды нам бегчы.
куды ні бяжы,
мінулае насоўваецца
шчытамі
на нашы сцягі.

Stełła

The area of Stełła Hero City Obelisk and Zaslaŭskaya street were where the protests began.

in the smoke
from your stun grenades
we can’t see
where to run

the past running up
with shields
against our flags

Заслаўская

дваццаць шэсць гадоў
барыкадамі выбудаваліся
паміж мной і табой.
цкуй мяне сваімі псамі —
я не баюся,
ты сам —
пожыў для груганоў!

Zaslaŭskaya

Up that hill, the protesters constructed barricades and hid from the riot police in buildings.

twenty-six years of barricades
lined up between me and you
try to hunt me with your dogs
i'm not afraid anymore
now it's you
who'll be carrion for crows

Няміга

калі нас атакуе
рой чорных дручкоў,
калі нашы крылы ломяцца
аб сляпую ўпартасць вадамётаў,
што мне рабіць:
маліць іх спыніцца
альбо ўцякаць?

даволі! хопіць!

Niamiha

At Niamiha, hundreds of unarmed people were met with water cannons and batons.

when we are attacked
by a horde of black batons
when our wings are broken
against the blind
force of water cannons
what should i do
beg them to stop
or run away?

one enough is not enough.

Puškinskaja

Several thousand people took to the area around Puškinskaja metro station in Minsk on 10 August to peacefully protest. Stun grenades, tear gas, and rubber bullets were used against them. The unarmed protesters tried to build barricades using rubbish bins and other objects to hand. Alaksandr Tarajkoŭski died there, as reported by the police, 'after an explosive device that he intended to throw at officers blew up in his hand'. A video was published on 15 August which shows the protester, empty-handed, getting shot by the police.

On 14 August thousands of Belarusians gathered to pay tribute to Tarajkoŭski where he had died, and laid flowers in a pile, thus creating a memorial. Several times, graffiti on the pavement which said 'Не забудзем' ('We won't forget') was covered up with salt by public utilities officers; people cleared it off every time. After a number of attempts to destroy it with salt, the utility officers painted over it. In December 2020, five people were convicted under the Criminal Code for this graffiti. The flowers brought by people have been regularly removed, and in 2021 people were arrested for bringing candles to the memorial.

Пушкінская

вы засыпалі соллю
наша “не забудзем!”,
але гэта соль з нашых слёз,
яна апячэ вам вочы,
ад яе ў вас адсохнуць рукі,
а мы ўсё адно не забудзем —
нас мільёны,
і ўсе мы прыносім кветкі.

you covered with salt
our 'we'll never forget'
on the asphalt there where
you killed our countryman
but it's the salt from our tears
that will sting your eyes
your hands will dry up from it
while we still won't forget
we're ninety-seven percent
and each one of us brings flowers

Рыга

мы разабралі на брусочкі
твой тэрор —
збудуем сабе новую дарогу.
а ты ганяеш
сваю машыну вайны
па выбоінах.

Riga

Around 5000 people took to the streets near Riga shopping centre on the night of 10 August. The protesters tried to erect barricades, using improvised means (building fences, fittings, boards and rubbish bins as well as road bricks), and the security forces demolished them. Explosions of stun grenades were clearly audible within a radius of 1.8 miles.

we disassembled your terror
into bricks
we'll build a new road
for ourselves
you are running your
war machines
over the potholes

RIGA
BURGER KING

Плошча Незалежнасці

вы скралі мой голас.
аддайце мой голас!
я буду прыходзіць штодня,
пакуль не пачую яго зноў.

ад рэха маіх крокаў
раструшчацца вашы
бетонныя сцены,
ад папроку ў маіх вачах
разаб'юцца шыбы
вашых вокнаў пустых!

Independence Square

From 12 August the protests took on a more peaceful form started by women wearing white and carrying flowers. Up until early September, people would gather at Independence Square (where the Central Election Commission is located) in Minsk to chant slogans, sing, dance, and unite

you stole my vote
give me my voice back
i will come every day
until I can hear it again

let the echo of my footsteps
crack your concrete walls
let the reproach in my eyes
break the glass
of your empty windows

у нашай камеры
на чатырох усё агульнае:
вадкае белае
ліпкае вохравае святло
рыпенне ложка
холад скручаны абаранкам
чыстае паветра са шчыліны ў акне
сонца за густым шклом
грукат вольных цягнікоў
бразгат дзвярэй
перастукванне праз сцены

цёплая вада ў душы
дэзадарант
газета сканвордаў
голас які чытае кнігу
згушчаны час
просьбы
праклёны
кашмары
і адно на ўсіх
"калі я выйду на волю..."

IN OUR PRISON CELL

the four of us
share everything:
liquid white
and sticky ochre light
bed squeaking
the cold curling up
the sun behind the thick window
fresh air from the gaps
between window frames
free trains rumbling
iron doors clashing
tapping against the wall
'long-live-be-la-rus'
warm water in the shower
deodorant
a newspaper with crossword puzzles
the voice reading aloud
thickened time
questions
curses
nightmares
and the very words
'when i'm out of here...'

«Это не я сижу на балконе в осенний зной...»
Паліна Барскова

Гэта не я сяджу на балконе восеньскай
спёкай.
Я — Курт Пруфер, і мне калісьці
так доўга не даплочвалі браты
Топф, што я стаў працаваць за попел.

Але ладна я, нямецкі інжынер
Курт Пруфер. Як апраўдаюцца
яўрэі, камуністы, ваеннапалонныя,
што будавалі печы па маіх чарцяжах —
для Дахау, Бухенвальда,
Асвенцыма, Маўтхаўзена,
Магілёўскага гета...

Гэта не я сяджу на балконе восеньскай
спёкай.
Попел на вокнах,
падлозе,
сталах,
талерках,
попел — не вызначыць узрост,
пол,
сваяцтва,
невінаватасць.
Гэта не я сяджу на балконе восеньскай
спёкай,
я ўвогуле не пераношу спёку пасля 45-га.

Memorial place Topf & Sons

That is not me on the balcony in the autumn
heat.
I am Kurt Prüfer, I was underpaid
by the Topf brothers for so long
that I ended up working for ashes.

I, Kurt Prüfer, was at least a German engineer.
How can they justify themselves –
the Jews, communists, war prisoners
who built the ovens from my designs –
for Dachau, Buchenwald,
Auschwitz, Mauthausen,
the Mogilev ghetto?...

That is not me on the balcony in the autumn
heat.
Nearby ashes cover windows,
        floors,
                tables,
                        and plates.
Among the ash who can identify age,
                sex,
                        relations,
                        innocence?

Я найлепшы інжынер фабрыкі «Топф і сыны»,
але гэта не я сяджу на балконе восеньскай спёкай.

Я ствараю попел дваццаць чатыры гадзіны.
Попел не пахне газам.
Попел пахне перспектывамі і поспехам.

Калі не я, дык хтосьці іншы б,
іх так многа,
як туфель, зубоў, дзённікаў, —
проста попел.

Нават пад страхам ГУЛАГу,
усё адно б —
бо хто, калі не я.

That is not me on the balcony in the autumn heat,
After 1945, I just can't stand the heat.
I am the senior engineer at Topf & Söhne,
that is not me on the balcony in the autumn heat.

Ovens splutter ash every twenty-four hours.
Ashes don't smell like gas.
Ashes smell like success and prospects.
If I hadn't designed them,
somebody else would have.

Those in line for the ovens
are so many
like shoes, teeth, diaries –
they are just ashes.
Even under threat
of the Gulag,
who if not me?

Erfurt, 2019

калі б цяпер быў трыццаць сёмы,
мяне б таксама расстралялі
за тое, што песціла
галосныя і даравала зычным,
нараджала не новыя ячэйкі
грамадства,
а вершы,
засушвала лістоту
гісторыі
паміж старонак,
не хавалася ад дажджу
і парасоны раздавала бяздомным,
любіла сяброў, а не ідэю
сяброўства й любові,
перакрочвала смела
адмежавальныя лініі,
не маршыравала, а занатоўвала
рытм натоўпу,
была вышэйшая ростам
і бачыла гады наперад.

за тое, што не маўчала.

што сэрца маё білася гучна.

In memoriam of the poets executed in 1937*

If it was 1937
they'd execute me as well
for I indulged my vowels
and forgave my consonants,
didn't create new social units but poems,
pressed the leaves of history
between pages,
didn't hide from rain
and gave umbrellas away
to those in need,
I loved my friends
rather than the idea
of friendship and love,
boldly crossed separating lines,
didn't march but noted
the crowd's rhythm,
was taller than average
and could see years ahead.

For I didn't keep silent.

For my heart was loudly beating.

калі б цяпер быў трыццаць сёмы,
мяне расстралялі б,
гэтаксама, як вас, —
ні за што.

If it was 1937
they would execute me,
just like you...

*On the night of 29-30 October 1937, more than 100 notable Belarusians, including 22 writers and poets, were executed by the NKVD secret service.

Я чую Украіну

> А вы заклеили окна?
>
> У адным пакоі | Няма скотча, раскуплены

я шчаслівая —
мне не трэба
заклейваць вокны
напярэхрыст
ад бамбёжак
гэты горад ніхто не чапае

> Толткі што быў магутны,выбух,
> шыба затрымцела ў вокнах 20:37

калі ветрана,
акно б'ецца аб раму,
бы далёкія стрэлы,
я пхаю паперку,
складзеную ўчацвёра,
паміж, каб
яны да мяне не даляцелі...

Ukraine I hear from London

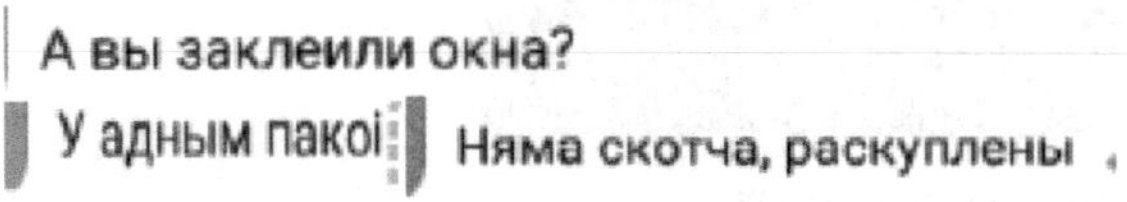
А вы заклеили окна?
У адным пакоі
Няма скотча, раскуплены

[Did you tape up your windows?
Only in one room. All the tape has been bought up]

it's a privilege
not to have to
tape up my window
from flying glass
of air raids
no one is bombarding this city

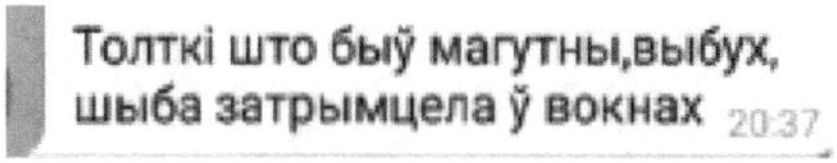
Толткі што быў магутны,выбух,
шыба затрымцела ў вокнах
20:37

[There's just been a huge explosion,
the windowpane is trembling]

when it's windy
the sash snaps
against the frame
like distant gunshots
i tuck folded paper
in-between
so the shots
would not reach me

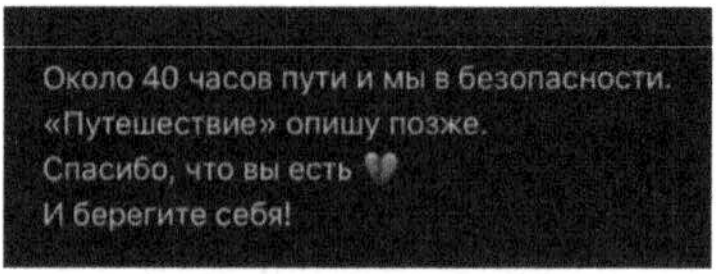
Около 40 часов пути и мы в безопасности.
«Путешествие» опишу позже.
Спасибо, что вы есть
И берегите себя!

і нібы кожны цягнік,
што праносіцца побач,
вязе танкі й ракеты,
я шукаю скотч,
знаходжу пачатак, рыхтуюся,
тады прымушаю сябе прачнуцца

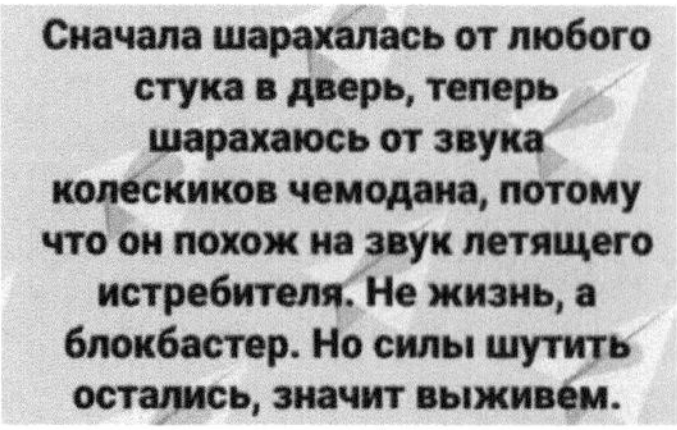
Сначала шарахалась от любого стука в дверь, теперь шарахаюсь от звука колескиков чемодана, потому что он похож на звук летящего истребителя. Не жизнь, а блокбастер. Но силы шутить остались, значит выживем.

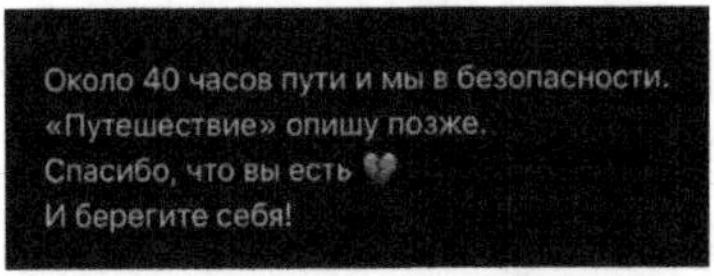
Около 40 часов пути и мы в безопасности.
«Путешествие» опишу позже.
Спасибо, что вы есть 💔
И берегите себя!

[About 40 hours, and we're safe.
I'll tell you about our 'journey' later.
Thank you for being there 💔
And take care!]

when the trains pass nearby
i think they're carrying
tanks and missiles
and i look for the tape
i find its end and get ready
then i force myself
to wake up

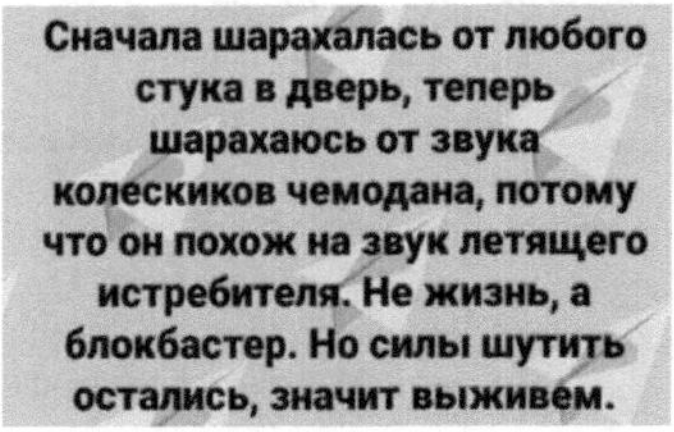
Сначала шарахалась от любого стука в дверь, теперь шарахаюсь от звука колесиков чемодана, потому что он похож на звук летящего истребителя. Не жизнь, а блокбастер. Но силы шутить остались, значит выживем.

[First I used to freak out about every tiny
knock on the door, now
I freak out about the sound
of suitcase wheels, because
it resembles a flying bomber. What a life,
a blockbuster. But I can still laugh about it,
which means we'll survive.]

Дзяўчаты! Магчыма, нас
сёньня будуць абстрэльваць
градамі. Хачу сказаць вам,
што люблю кожную з вас,
ганаруся знаёмствам! Вы самыя
лепшыя дзяўчаты гэтай краіны.
Змагайцеся і перамагайце! 🖤

the planes to
Copenhagen or Tallinn
sound like the washing
machine drum
in the basement
where my mind runs
to a shelter
while my body remains
in the room
heavy like the pressure
of cargo trains
on the track

> Дзяўчаты! Магчыма, нас
> сёньня будуць абстрэльваць
> градамі. Хачу сказаць вам,
> што люблю кожную з вас,
> ганаруся знаёмствам! Вы самыя
> лепшыя дзяўчаты гэтай краіны.
> Змагайцеся і перамагайце! 🖤

[Girls! We may be
shelled by Grads
today. I want to tell you
that I love each of you, and
I'm proud to know you! You are the
best women in this country.
Fight and win! ♥]

кроплі аб шкло
будзяць мяне
артылерыйскім абстрэлам
сезон дажджоў

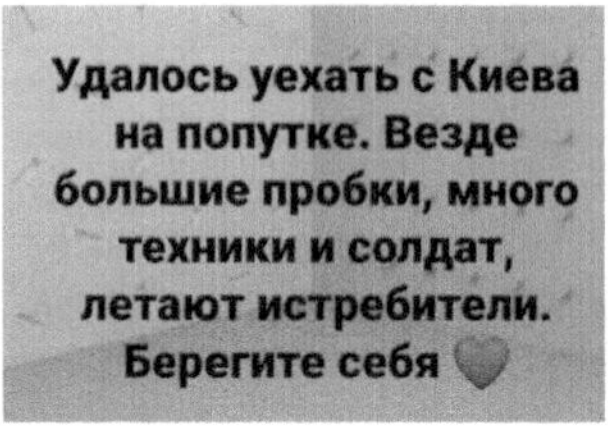
Удалось уехать с Киева
на попутке. Везде
большие пробки, много
техники и солдат,
летают истребители.
Берегите себя

што б ні глядзелі па тэлевізары
суседзі,
я чую

The raindrops
falling on my window
wake me up
like artillery shelling
it's that season in London

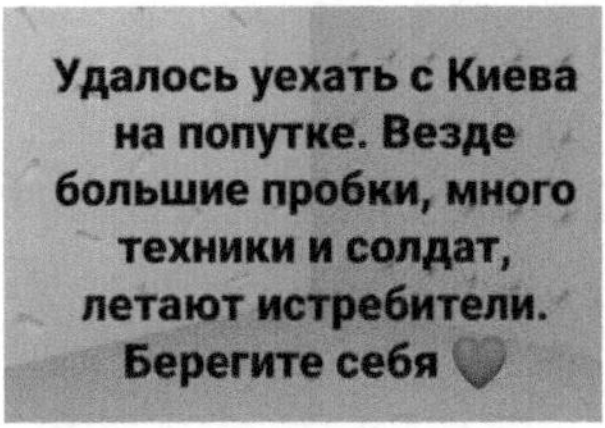
Удалось уехать с Киева
на попутке. Везде
большие пробки, много
техники и солдат,
летают истребители.
Берегите себя

[We've managed to leave Kyiv
by hitchhiking.
There are big traffic jams everywhere, lots of
vehicles and soldiers, and bombers flying.
Take care ♥]

whatever my English
landlady watches on tv
I hear

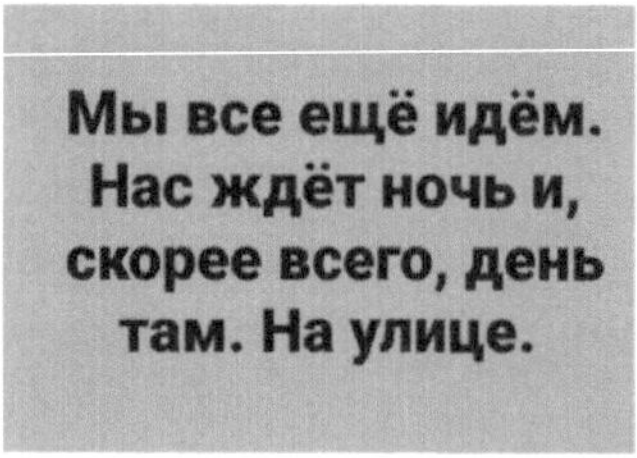
Мы все ещё идём.
Нас ждёт ночь и,
скорее всего, день
там. На улице.

Я во Львове
В шелтере для эвакуированных

Сёння мы ў горадзе Санок. Памыліся і паелі. Рукі, спіна, ногі адвальваюцца. Але як жа прыемна будзе спаць гарызантальна!

**Мы все ещё идём.
Нас ждёт ночь и,
скорее всего, день
там. На улице.**

[We're still walking.
We'll spend the night and,
probably, another day
there. Out there.]

**Я во Львове
В шелтере для эвакуированных**

[I'm in Lviv
In a shelter for evacuees]

Сёння мы ў горадзе Санок. Памыліся і паелі.
Рукі, спіна, ногі адвальваюцца. Але як жа
прыемна будзе спаць гарызантальна!

[Today we are in the town of Sanok. We washed ourselves and ate.
Our arms, backs and legs are nearly dead. But what a joy it is to sleep horizontally!]

Мы истощены морально и физически, руки трясутся до сих пор сильно. Наш путь в безопасность, не считая остановки во Львове, занял более 60 часов.

кожны крок па падлозе — удар

У нас выбухае ізноў. Зьбіты самалёт упаў недзе недалёка ад мяне на жылыя дамы. ↩ 3 02:58

Лондан спіць,
а мы — не.

мы готовы и нам не страшно

Мы истощены морально и физически, руки трясутся до сих пор сильно. Наш путь в безопасность, не считая остановки во Львове, занял более 60 часов.

[We are exhausted both emotionally and physically, hands are still shaking badly. Our journey to the safe place, plus a stop in Lviv, took over 60 hours.]

every step on the floor
of this Victorian house
is a hammering

У нас выбухае ізноў. Зьбіты
самалёт упаў недзе недалёка ад
мяне на жылыя дамы. ↩ 3 02:58

[Explosions again. An aircraft shot down
fell somewhere near
my building, on residential houses.]

London is sleeping.
But we are not.

мы готовы и нам не страшно

[We are ready and we aren't scared]

When russia started the full-scale invasion of Ukraine on 24 February 2022, I had many friends who were living there. This is a documentary poem using clips from my conversations with them and their messages on social media.

Потым раскажам,
як мы выжылі, як змаглі;
што нас вяло на вуліцы,
што вяртала дадому;
за каго мы запальвалі
свечкі штовечар;
пра летапісы нашых жыццяў
у лістах зняволеным;
як, ідучы дадому, уздымалі вочы
на вокны, баючыся не далічыцца;
хто насамрэч перамагаў
у нашых снах
і куды мы сыходзілі па начах,
замест таго, каб кахацца.

When it's over

we will tell
how we survived,
what led us to the streets,
what brought us back home,
for whom we lit
a candle every night,
the stories of our lives
in the letters to prisoners,
how, walking, we looked up
at the windows to find the signs,
fearing that some would be missing,
who actually won in our dreams,
and where we went out at night,
rather than making love.

ACKNOWLEDGMENTS

I would like to thank my Belarusian colleagues who've helped me grow as a poet, and Belarusian readers whose hearts and minds are open to the experiences my poems share.

Thanks V.H. for editing the Belarusian poems and leaving a lot of space for my decisions, to Kryścina Banduryna for proofreading them and being a supportive friend. Thank you Mary Kollar for helping me edit my English translations of these poems, for your caring ways, and encouragement; thank you John Farndon for proofreading the translations and for your friendship. Thanks to xenia svirid for the photo poetry collaboration.

I would like to thank the editors of the Belarusian magazines and newspapers Dziejaslou, Maladosć and LiM for publishing some of the Belarusian poems and the editors of English language magazines where some of these poems were published: Bold + Italic, The Blue Nib, Poetry Space, PEN/Opp, Damnation, Dreich Mag, Interpret, and Overground Underground.

Huge thanks to my colleagues from Sweden, Norway, Poland, Ukraine, Denmark, Lithuania, Germany, Slovenia, Estonia and the Russian Federation for translating some of these poems into your languages and making it possible for the Belarusian language to sound from stages around the world. I appreciate Mark Coverdale for giving

me a platform to perform some of these poems at his events in London and Reading, Ahmed Kaysher and Saudha International Literature Festival that welcomed me and my poems in many places across London and in Leeds, the 10th International Video Poetry Festival for welcoming me with these poems in Athens, Sofia Literature and Translation House for creating an opportunity for me to perform them in Sofia, the festival HeadRead for giving me platform to share these poems in Tallinn, as well as to all wonderful people and organisations that provided online and offline platforms and wanted to listen.

Thanks to Pawietra for our music collaborations, Alina Stsiatsova and a team of video artists for the video poetry projects.

I thank everyone who believes in me and finds meaning in my writing. To everyone who has helped me keep going no matter what.

Hanna Komar is a poet, writer and translator. She has published four poetry collections, 'Страх вышыні' [*Fear of Heights*], a collection of docu-poetry 'Мы вернемся' [*We'll Return*] and 'Вызвалі або бяжы' [*Set Me Free or Run*] in Belarusian, as well as a bilingual collection. Her work has been translated into Polish, Ukrainian, Swedish, Norwegian, Danish, German, Czech, Lithuanian, Slovenian, Estonian and Russian. She translates her work into English. Hanna is a member of PEN and Freedom of Speech 2020 Prize laureate from the Norwegian Authors' Union. She holds an MA in Creative Writing from the University of Westminster. She is interested in using poetry to support Belarusian women in sharing their experiences of gender-based violence and patriarchy.

annapont

We translate female authors who write in minority languages. Only women. Only minority languages. This is our choice.

We know that we only win if we all win, that's why we are proud to be fair trade publishers. And we are committed to supporting organisations that help women to live freely and with dignity.

We are 3TimesRebel.